Pour les p'tits loups qui ne se trouvent pas beaux,
et qui le sont, tellement.
OL

Le loup
qui voulait changer de couleur

Texte de Orianne Lallemand
Illustrations de Éléonore Thuillier

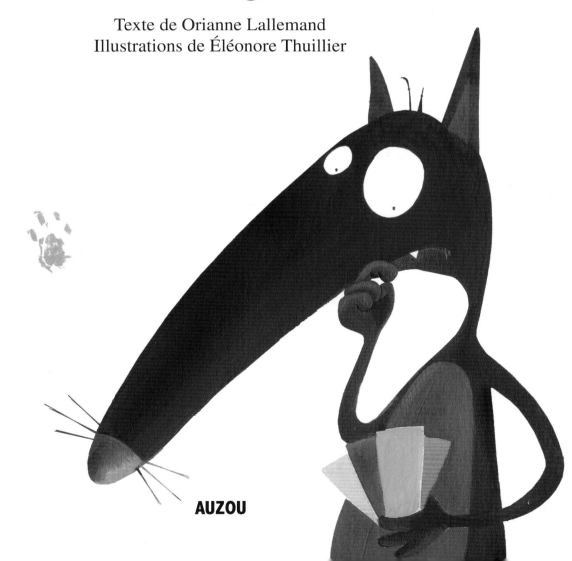

AUZOU

Il était une fois un gros loup **noir**
qui n'aimait pas sa couleur.

Il trouvait le **noir** trop triste.

3

lundi

Le loup essaya le vert.
Il plongea sa patte dans un pot
de peinture verte et s'en barbouilla
le corps.

Quand il fut bien sec, il se regarda
dans son miroir et s'exclama :
« Quelle horreur !
On dirait une grosse grenouille.
Cela ne va pas du tout ! »

Le loup enfila le pull de laine **rouge** que lui avait tricoté
sa grand-mère, ainsi qu'une paire de bas écarlates.

Quand il fut tout rouge, il se regarda dans son miroir et s'exclama : « Nom d'un petit cochon, maintenant on dirait le Père Noël...
Moi qui déteste Noël ! Cela ne va pas du tout ! »

Mercredi, le loup se faufila chez le fermier
et cueillit toutes les roses de son jardin.

Puis il se couvrit le corps
de pétales de fleurs.

Quand il fut tout **rose**,
il se regarda dans son miroir
et s'exclama :

« Beurk !
Voilà que je ressemble à une princesse...
Cela ne va pas du tout ! »

Le loup se plongea
dans un bain bien glacé.

14

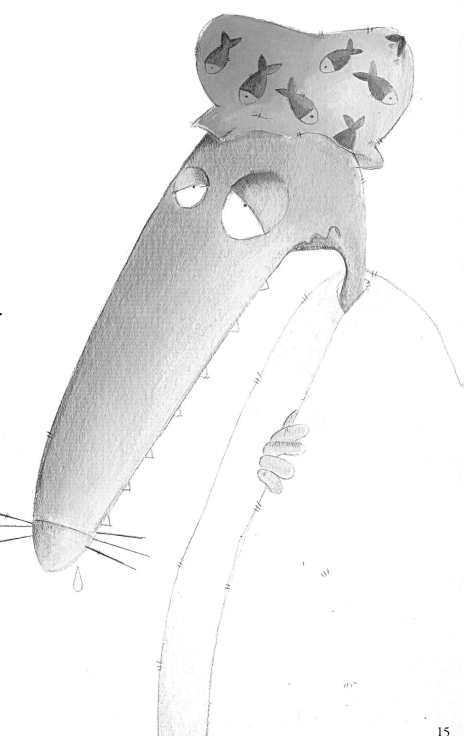

Il eut si froid qu'il ressortit
de la baignoire tout 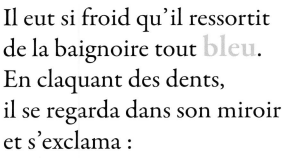bleu.
En claquant des dents,
il se regarda dans son miroir
et s'exclama :
« Brrrr !
Le *b-b*-bleu me *do*-donne
très-très mauvaise *mi*-mine.
Ce-cela ne va *pas*-pas
du *tout*-tout ! »

Vendredi, le loup mangea un panier d'oranges entier.
Puis il se colla soigneusement les écorces sur tout le corps.

Quand il eut terminé, il se regarda
dans son miroir et s'exclama :
« Quelle horreur !
De près, on dirait une carotte géante,
et de loin, je ressemble à un renard !
Cela ne va pas du tout ! »

Samedi,
le loup se roula
dans une mare
de boue.

Quand il fut tout **marron**,
il se regarda dans son miroir
et soupira :

« Oh la la !
Maintenant, je ne ressemble
plus à rien...
Et puis cela me gratte,
et je sens mauvais.
Cela ne va pas du tout ! »

23

Dimanche, le loup alla à la chasse au paon.
Il en trouva un qui dormait tranquillement et le dépluma.

Quand il fut paré des plumes du paon,
il se regarda dans son miroir et s'exclama :

« Oh !
Comme je suis beau,
cette fois ! »

Mais c'était aussi l'avis de toutes
les louves des environs.
Toute la journée, elles lui tournaient
autour en murmurant à ses oreilles :
« Oh, comme tu es beau, mon loup ! »

Le pauvre loup multicolore
n'était jamais tranquille !

29

Un soir, à bout de nerfs, le loup se regarda
dans son miroir et dit :

« Cela ne va pas du tout !
Je ne veux plus être ni **vert**,
ni **rouge**, ni **rose**, ni **bleu**,
ni **orange**, ni **marron**,
ni **multicolore** !

Finalement, je suis très bien en loup ! »

Direction générale : Gauthier Auzou
Direction éditoriale : Florence Pierron
Maquette : Annaïs Tassone
Fabrication : Olivier Calvet

www.auzou.fr

Mes p'tits albums

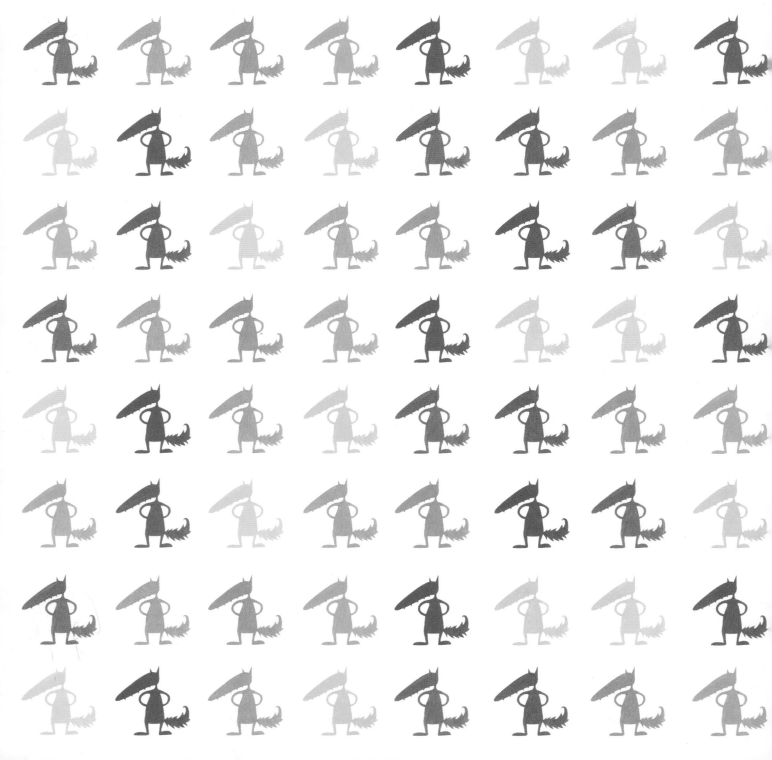